Maria

COLLECTION FOLIO

Christian Bobin

La plus que vive

Gallimard

Cet ouvrage a été précédemment publié dans
la collection « L'un et l'autre » aux Éditions Gallimard.

Christian Bobin est né en 1951 au Creusot.

Il est l'auteur d'une vingtaine d'ouvrages dont les titres s'éclairent les uns les autres comme les fragments d'un seul puzzle. Entre autres : *Une petite robe de fête, Souveraineté du vide, Éloge du rien, Le Très-Bas, La part manquante, Isabelle Bruges, L'inespérée, La plus que vive, Autoportrait au radiateur, Geai.*

La mort, comme la vie, a ses ritournelles, ses saisons et ses croissances. Aujourd'hui nous sommes au seuil du printemps. Demain, lilas et cerisiers donneront leurs fêtes. Si je me retourne pour te voir dans ta mort débutante, Ghislaine — mais retourner n'est pas le mot qui convient, tu as toujours été en avant, devant —, dans ce temps des derniers gels et des premières floraisons blanches, je te vois comme une jeune femme éclatant de rire sous les giboulées. Ton rire me manque. On peut se laisser dépérir dans le manque. On peut aussi y trouver un surcroît de vie. L'automne et l'hiver qui ont suivi ta mort, je les ai occupés à défricher pour toi ce petit jardin d'encre. Pour y entrer, deux portes — un chant et une histoire. Le chant c'est le mien. L'histoire je n'en suis que le conteur. Je l'offre à tes enfants, tes oiseaux de paradis, tes trois vies éternelles : Gaël, Hélène, Clémence. Je les invite à fouler la terre de ce livre, afin de s'emparer d'une lumière qui n'est à personne et dont tu fus la servante exemplaire.

Ce jour-là, le soir venu, il leur dit :
« Passons sur l'autre rive. »

Évangile selon saint Marc, 4, 35

L'événement de ta mort a tout pulvérisé en moi.

Tout sauf le cœur.

Le cœur que tu m'as fait et que tu continues de me faire, de pétrir avec tes mains de disparue, d'apaiser avec ta voix de disparue, d'éclairer avec ton rire de disparue.

Je t'aime : je ne sais plus écrire, je ne vois plus que cette seule phrase à écrire, c'est toi qui m'as appris à l'écrire, c'est toi qui m'as appris à la prononcer comme il faut, avec une énorme lenteur, en détachant chaque mot, avec une lenteur de plusieurs siècles, avec cette lenteur adorable qui était la tienne lorsque tu devais te livrer à des choses pratiques, faire une valise, ranger une maison, tu es la femme la plus lente que j'aie jamais connue, la plus lente et la plus rapide, quarante-quatre ans de ta vie sont passés comme un éclair très lent d'un seul coup avalé par le noir.

Je t'aime — cette parole est la plus mystérieuse qui soit, la seule digne d'être commentée pendant des siècles. À la prononcer elle donne toute sa douceur, à la prononcer comme il faut, en silence, au secret de ta mort fraîche : le *e* du dernier mot ne s'entend presque pas, il bat des ailes et s'envole, je t'aime Ghislaine, il est hors de question de mettre cette parole à l'imparfait, les fleurs sur la tombe de Saint-Ondras, en Isère, ont fané une semaine après l'enterrement, je t'aime, cette parole reste vive et le temps de la dire couvre le temps entier d'une vie, pas plus, pas moins.

C'est le 12 août 1995, au Creusot, que la mort te saisit par les cheveux, tu crois te plaindre d'une migraine, tu crois dire quelque chose d'anodin et tu tombes, une pluie d'étoiles rouges partout dans ton cerveau, rupture d'anévrisme, c'est ce que disent les médecins, c'est leur nom pour dire l'indicible, cette soudaine hémorragie de force dans le corps de ceux qui t'aiment — le sang qui ne coule plus dans les veines des morts, ce sont les vivants alentour qui le perdent.

Tu n'as pas eu le loisir d'être malade, la mort est descendue sur toi sans prévenir comme l'aigle noir de la chanson de Barbara, tu aimais bien cette chanteuse, tu aimais cette voix insouciante, libre et amoureuse, « un beau jour ou peut-être une nuit, près d'un lac, je m'étais endormie, quand soudain, semblant crever le ciel, surgi de nulle part, est venu l'aigle noir », ses ailes t'ont recouverte en une seconde, Ghislaine, ses ailes étaient si grandes que l'ombre en est venue sur ceux qui t'aiment et pour longtemps.

Il nous faut naître deux fois pour vivre un peu, ne serait-ce qu'un peu. Il nous faut naître par la chair et ensuite par l'âme. Les deux naissances sont comme un arrachement. La première jette le corps dans le monde, la seconde balance l'âme jusqu'au ciel. Ma deuxième naissance a commencé en te voyant entrer dans une pièce, un vendredi soir de fin septembre 1979, vers les dix heures du soir. Je te rencontre ce soir-là chez ton premier mari, tu arrives quand je m'apprête à partir, tu reviens de ta vie épuisante et tu es là, devant moi, comment dire : pour toujours — même ta mort ne peut rien contre ça. Le reste est simple comme un jeu d'enfant : je te suis. Je te suis dans ce premier mariage, puis dans ton divorce, puis dans ton second mariage. Je traverse les cases de la marelle à cloche-pied, tu continues d'aller et je continue de te suivre.

Pendant seize ans je t'ai accompagnée partout et là, le 12 août 1995, je n'ai pas pu, c'était impossible, je ne comprends pas pourquoi c'est impossible, c'est comme si tu étais derrière une vitre ou derrière l'air, derrière quelque chose qui n'est guère plus épais qu'un millimètre d'air, de lumière et de verre, tu es juste au-delà, quand je regarde je ne vois rien, en regardant bien, longtemps, et j'écris ces lignes pour bien regarder, pour longtemps regarder ce millimètre d'air, de lumière et de verre, en regardant bien je me dis que je finirai par voir, par comprendre, et même si mes yeux se font au noir, même si l'éblouissement de mort diminue d'intensité, même si un jour je vois et je comprends, je sais que ce millimètre d'air, de lumière et de verre me restera infranchissable — et pourtant toi tu l'as franchi en une seconde, c'est vrai que toi tu avais tous les dons, c'est vrai que j'écris aussi pour ça, pour dire : je sais ce qu'est un génie, j'en ai rencontré un dans ma vie, pendant seize ans j'ai accompagné un génie, tu n'écrivais pas, tu ne peignais pas, tu n'étais pas ce qu'on appelle artiste, savant ou Dieu sait quoi, tu étais le génie à l'état pur, le génie est composé d'amour, d'enfance et encore d'amour, j'aimerais que l'on te voie comme ça, comme tu étais, comme tu es, une merveille d'enfance et d'amour pur, tous les dons dans un cœur rouge comme du feu.

Le Christ, je n'y pense pas. Ce n'est pas un oubli, ce n'est pas un éloignement. Je n'y pense pas, c'est tout. C'est toi qui me l'as donné ou je ne sais trop comment dire, ramené, à moins qu'il ne se soit trouvé pris entre nous deux, comme dans un amour ce qui échappe aux humeurs de l'un et de l'autre, ce qui brille malgré tous obscurcissements, quelque chose qui persiste, qui insiste, quelque chose ou quelqu'un, mais pour l'instant je n'y pense pas, je ne mets pas de nom, je n'ouvre pas de Bible, je ne viendrai à cette chose que lorsqu'elle sera épurée de toute consolation, rincée de tout imaginaire, je sais très bien que je ne te reverrai plus sur cette terre, que c'en est fini de ton rire sur la terre, du bruit de tes pas sur la terre, je me contente pour l'heure de ce savoir, la douceur qui me venait de toi me vient encore, elle est aujourd'hui portée à son extrême, elle sort de ton caveau ouvert où j'ai vu, longtemps vu et contemplé ton cercueil de bois clair et les deux autres cercueils pourris, comme des dents noires dans une bouche malade, juste au-dessus du tien, cette vision m'est précieuse, je la garde près de moi, je cherche une lumière qui peut *tenir* à côté, je cherche cette lumière en t'écrivant, c'est comme un travail que tu me laisses et ce travail est encore un don, le plus pur peut-être, je te rends grâce Ghislaine, j'ai tout perdu en te perdant et je rends grâce pour cette perte, je t'aime comme un fou, je cherche douceur, lumière, amour dans cette folie, et quant au Christ, on verra bien.

Belle, oui, belle de cette beauté que donne à un visage de femme le grand air de la liberté, belle, gaie, douce, attentive, distraite, insouciante, fatiguée, légère, insupportable, adorable, désordonnée, riante, désespérée, chantante, songeuse, désordonnée encore et lente, très lente et libre et belle *comme la vie* : il me reste à faire entrer dans cette beauté vivante la lumière noire de ta mort comme un détail en plus, un comble de désordre et de grâce, oui, de grâce.

Je réfléchis, je réfléchis énormément, je suis devant ta mort comme devant une énigme, une pensée dont je ne sais trop ce qu'elle contient de tendre et de terrible, je devine que je n'ai pas le choix et que, pour mettre la main sur le tendre, il me faudra accueillir aussi le terrible, tu ne m'as jamais rien donné que de noble et de pur, je cherche ce qui dans ta mort est caché de noble et de pur, j'écris comme tu m'as appris à le faire : je cherche matière de louange partout, même dans le pire.

La gone : c'est comme ça qu'ils t'appellent dans ta famille, c'est un mot du lyonnais pour dire celle qui réjouit le cœur, la benjamine, le bout de chou, la tard venue, quatrième et dernière des enfants. La place du dernier dans une famille est la place souveraine. On « passe tout » à la gone. On veille sur elle, sans jamais l'arrêter dans ses folies. On sent bien que c'est la dernière, qu'après il n'y en aura plus d'autres, alors on brûle pour elle tout l'or du temps, on fait comme si un tel amour était inépuisable, d'ailleurs c'est ce qu'il est. Les aînés, on les reconnaît plus tard à leur trop grand sérieux, et à cet empêchement qu'ils ont à parler d'eux-mêmes : ils ont reçu de plein fouet l'angoisse de parents trop jeunes, la crainte des parents de mal faire. Les aînés, on met sur eux le fardeau de ne jamais décevoir. Difficile de chanter avec un tel poids sur les épaules. Quand survient un deuxième enfant, le premier se voit accablé d'honneur, on lui dit cette parole inaudible : ton petit frère ou ta petite sœur est là, il faut que tu sois plus responsable — alors que les derniers, mon dieu les derniers, on ne leur demande rien, qu'ils soient là est miracle, les parents ont vieilli, ils ont compris que les enfants ce n'est pas sorcier, ça pousse à travers nos erreurs.

La gone est à deux mois ce qu'elle sera à vingt ans et à quarante, inespérée, comblée, on lui passera tout, ses bêtises, ses amours, ses maris, sa lenteur, son désordre, et parce qu'on ne lui demande rien, elle répond sans arrêt, de la plus fine réponse qui soit — petite Ghislaine assise sur la terrasse de La Tour-du-Pin, pieds nus dans le jardin de Saint-Ondras, tu sais à peine marcher, tu as déjà compris le monde et que l'amour y manque même quand il est bien là, alors tu remplis ta mission de gone, tu occupes ta place de dernière, tu donnes l'amour qu'on t'a donné et tu le donnes au centuple.

« Allô, mon doudou » : c'est ta première parole au téléphone, tous les dimanches soir de ta vie, vers huit heures, huit heures trente. C'est ta mère que tu appelles ainsi. Au même instant ta petite fille, dernière-née, galope comme une folle dans l'appartement, redoublant d'énergie à l'heure de dormir. D'un côté ton enfant, de l'autre côté, au bout du fil, ta mère, et dans le milieu du monde, toi, devenue pour un instant mère de ta mère autant que de ta fille, allô, mon doudou.

Tu n'es pas très grande, on pourrait presque dire que tu es menue et il sort de toi, de ta présence, de ta voix, de tes yeux, une puissance enveloppante, une bienveillance de fond. Tu as eu officiellement trois enfants, deux filles et un garçon, Clémence, Hélène, Gaël. Tu as eu clandestinement des dizaines d'enfants, c'est incroyable le nombre de personnes que tu as aidées, rassurées, confortées, nourries, veillées. Lorsque j'écris sur les mères dans mes livres, et je n'écris presque que sur elles, c'est sur toi que j'écris. Tu es une mère parfaite, et je précise : une mère parfaite est celle qui, comme toi, donne son amour sans compter, sans attendre qu'on lui rende la monnaie, et surtout elle ne vit pas que pour ses enfants, elle vit ailleurs aussi, elle vit d'autres amours, elle est pleinement là dans chaque geste ou chaque mot, allô mon doudou, et elle est immédiatement ailleurs, ou si l'on veut, les meilleures mères sont ce que le monde appelle des mauvaises mères, celles qui ne pensent pas qu'à leurs enfants, ou si l'on veut encore, les meilleures mères sont celles qui n'oublient pas d'être aussi, avec autant d'intensité, femmes, amantes, enfants, je ne sais comment faire entendre une chose aussi simple, je ne sais comment expliquer l'évidence, ce que sont les meilleures mères, une seule phrase peut le dire et elle convient pour le tout de ta vie comme pour le bloc de ta mort : elles se donnent et s'en vont.

Pour parler des mères, des fées, des amantes, des petites filles, des sorcières, il me suffisait de te regarder, maintenant il faut que j'apprenne à voir de front, de face, sans passer par la clarté de ta présence sur la terre, ta mort m'est un sevrage.

Le téléphone, encore. Ce matin quelqu'un m'appelle, quelqu'un qui me parle de lectures, je ne comprends pas bien, j'écoute, je laisse aller et d'un seul coup je me dis qu'il faut abréger cette conversation, que tu risques de m'appeler comme tu le fais, n'importe quand, pour me demander n'importe quoi, je ne voudrais surtout pas que tu te heurtes au refus de la sonnerie, très vite je raccroche et il me faut encore quelques secondes pour comprendre que tu es morte et que tu ne m'appelleras plus.

On dit que la voix et les yeux sont, dans la chair, ce qui est le plus proche de l'âme, je ne sais pas si c'est vrai et de quelle vérité, je sais que la mort est goulue et qu'elle va au plus vite, comme un voyou mettant la main sur un trésor, en un millième de seconde les yeux sont vidés et la voix est éteinte, fini, fini, fini.

Je décrochais le téléphone, je reconnaissais ta voix à l'instant, je pourrais dire, je devrais dire : je reconnaissais ta voix *au toucher*, avant toute conscience, ta voix me parlait bien avant les mots qu'elle portait, elle me disait quelque chose de précieux et de rare, une chose de trois fois rien : la vie continue et elle n'en finira jamais comme ton rire et comme cette voix, perceptible pour moi, de ton vivant, jusque dans le silence.

Je n'ai pas fait attention, je te voyais plusieurs fois par semaine, mais il serait plus juste de dire que je te voyais tout le temps, même la solitude dans cet appartement était comblée de toi, aimantée par l'espérance d'une prochaine rencontre, et je n'ai pas fait attention, nous parlions de tout sans choisir, de l'argent, de Dieu, des enfants, des livres et d'une couette en solde que tu pensais aller chercher avec moi dans la zone industrielle de Montceau-les-Mines, les magasins où je t'ai accompagnée m'apparaissent aujourd'hui fabuleux, ils me font beaucoup plus rêver que les pays les plus lointains, je n'ai pas fait attention, tu avais le don de changer la parole en fête et j'ai cru que cette parole-là, vagabonde et riante, était sans fin, j'ai simplement oublié le feuillage de la mort au-dessus de nos vies et comme ce feuillage peut d'un seul coup s'assombrir et peser, d'un seul coup plus personne à qui confier ce qui me trouble et qui m'enchante, plus personne pour donner aux mots de la vie courante cette douceur d'un pull jeté sur les épaules, les soirs d'été, quand les grands arbres ne savent plus donner que du froid et du noir.

Tu connais la pièce où j'écris. Tu venais y lire mes brouillons, j'aimais te montrer ce qui ne se montre pas : le négligé de l'écriture, son état au réveil. Je n'écrivais que par toi, je n'écrivais qu'en toi, j'orientais la feuille de papier blanc vers ton visage, afin de capter le plus de lumière possible. Tu connais bien cette pièce, ce bureau, tu sais, sur ma droite, il y a ce mur de livres et des noms sur les livres, des noms parfois imposants, intimidants, et je me dis aujourd'hui, parce que l'événement de ta mort me ramène à cette misère élémentaire, commune, bienfaisante, je me dis que ces gens-là aussi, même les plus austères, les plus égarés dans la pensée, je me dis qu'ils ont connu cette misère-là, à leur insu ou non, cela importe peu, oui même les plus fiers et les plus savants n'ont jamais fait que suivre cet instinct-là, enfantin, naïf : écrire pour réparer l'irréparable.

Je te parle à voix basse, je te parle à voix folle, j'emprunte la voix des gens du douzième siècle pour te parler, j'emprunte les mots de rose et d'églantier, les sentes d'amour courtois, les troubadours vantaient la grâce d'une femme qui n'était pas la leur mais celle d'un prince, aujourd'hui tu es l'épouse du roi de la lumière, tu dors entre les bras puissants de Dieu et cela ne m'empêche pas de te parler et de continuer ma cour, rien ni personne jamais ne m'en empêchera, ni prince ni Dieu, en te parlant je donne à ma parole la chance d'être assez douce, assez folle pour ne jamais aller au gris d'un bavardage, au début j'ai bien cru perdre ma voix, la parole et la mort sont comme deux personnes qui voudraient entrer dans une pièce en même temps et se gênent, demeurent bloquées sur le seuil, au début la mort devenait de plus en plus grande et la parole bégayait de plus en plus, ensuite j'ai compris qu'il fallait éviter comme la peste tout ce qu'on croit savoir à ce sujet, tous les mots convenus sur la douleur et la nécessité de revenir à une vie distraite, j'ai compris que, comme pour la vie, il ne fallait écouter absolument personne et ne parler d'une mort que comme on parle d'un amour, avec une voix douce, avec une voix folle, en ne choisissant que des mots faibles accordés à la singularité de cette mort-là, à la douceur de cet amour-là.

Ta manière de parler en soulignant ou plutôt en allégeant certaines de tes affirmations avec un mouvement du poignet, une danse légère de la main, ta manière désastreuse de préparer le repas ou plutôt de confier ce soin à ton mari, et quand vraiment tu ne pouvais faire autrement, tu préparais des crêpes, une quantité fabuleuse de pâte à crêpes, on en mangerait pendant une semaine, ta manière d'écouter la radio, France Culture, à sept heures du soir, en notant le nom des livres dont on parlait sur un bout de papier que tu perdrais le lendemain, ta manière d'écrire des lettres à ceux qui vivaient dans la même maison que toi, ta manière d'éclater de rire quand tes interlocuteurs se laissaient engloutir dans le sombre et le tragique, ta manière de te mettre en colère, de jurer sans rien perdre de ta grâce, ta manière de noircir des cahiers avec des citations picorées dans les livres, et ce matin je pense que ces cahiers sont la plus juste image de toi, du mouvement de ton âme vers le noble et le pur, ta manière de vivre en couple en laissant toutes portes ouvertes, n'importe qui pouvait venir, à n'importe quelle heure, quand c'était trop tu soupirais un peu et voilà, ta manière de vouloir une chose contre toutes les raisons, ta manière de classer les photographies de tes enfants dans un album, en oubliant très vite de les classer, en les regardant longtemps, souriante, un peu étonnée, ta manière de souffrir quand on te pressait pour faire quelque chose, allons, on va être en retard, les petits enfants connaissent la même souffrance quand on les sort de leurs jeux pour les emmener dehors, quand on leur rappelle l'heure qui passe, ta manière de chanter quand tu désespérais d'être comprise, ta manière d'être à tous sans être jamais à personne, ta manière libre d'être libre, ta manière amoureuse d'aimer, oh Ghislaine, que c'est étroit un cercueil pour contenir tellement de choses, à croire que rien n'est vrai de cette mort, à croire que tu as encore inventé quelque farce, comme on dit des enfants terribles : mais qu'est-ce qu'il a pu encore inventer, à croire que même si ta mort est vraie, tu sèmes un beau désordre en paradis et que tu as déjà ta cour là-bas, un ange pour préparer le repas, un autre pour te faire la lecture et Mozart qui ronronne à la radio, chaque soir à sept heures.

Je n'ai jamais pu supporter la moindre critique te concernant. Que l'on prononce sur toi la moindre parole blessante, la plus légère réserve, je l'entends, je n'oublie pas, je garde. Je ne m'en sers pas mais c'est là, comme un abîme entre moi et ceux qui, un jour, ne serait-ce qu'une fois, auront émis un doute sur toi. C'est ma façon d'aimer. C'est la seule que je connaisse. Ce n'est pas que tu sois parfaite. Ce n'est pas non plus que tu sois une sainte. Même les saintes, surtout elles, quand on entend ce qu'elles disent, et elles le disent clairement, même les saintes se jugent, *et à juste titre,* les dernières des dernières, et cela en raison d'une loi spirituelle élémentaire : plus on s'approche de la lumière, plus on se connaît plein d'ombres. Il n'y a pas de saintes, même les saintes le disent. Il y a du noir et il y a parfois une fée qui invente une source dans le noir. Moitié source, moitié fée : de toi il ne m'est jamais venu que du bien. Ou plus précisément, plus merveilleusement : même quand de toi il me venait du mal, ce mal tournait immédiatement en bien. Tu m'as fait connaître, pourquoi le taire, le grand délire de la jalousie. Rien ne ressemble plus à l'amour et rien ne lui est plus contraire, violemment contraire. Le jaloux croit témoigner, par ses larmes et ses cris, de la grandeur de son amour. Il ne fait qu'exprimer cette préférence archaïque que chacun a pour soi-même. Dans la jalousie il n'y a pas trois personnes, il n'y en a même pas deux, il n'y en a soudain plus qu'une en proie au bourdonnement de sa folie : je t'aime donc tu me dois tout. Je t'aime donc je suis dépendant de toi, donc tu es liée par cette dépendance, tu es dépendante de ma dépendance et tu dois me combler en tout et puisque tu ne me combles pas en tout, c'est que tu ne me combles en rien, et je t'en veux pour tout et pour rien, parce que je suis dépendant de toi et parce que je voudrais ne plus l'être, et parce que je voudrais que tu répondes à cette dépendance, etc. Le discours de la jalousie est intarissable. Il se nourrit de lui-même et n'appelle aucune réponse, d'ailleurs il n'en supporte aucune — toupie, spirale, enfer. J'ai connu ce sentiment quinze jours, mais une heure aurait suffi amplement pour le connaître tout. Au quinzième jour l'enfer était passé, définitivement. Pendant ces quinze jours je piétinais dans la mauvaise éternité des plaintes : j'avais l'impression que tu épousais le monde entier — sauf moi. C'est le petit enfant en moi qui trépignait et faisait valoir sa douleur comme monnaie d'échange. Et puis j'ai vu que tu n'écoutais pas ce genre de choses et j'ai compris que tu avais raison, profondément raison de n'en rien entendre : le discours de la plainte est inaudible. Aucune trace d'amour là-dedans. Juste un bruit, un ressassement furieux : moi, moi, moi. Et encore moi. Au bout des quinze jours un voile s'est déchiré en une seconde. Je pourrais presque parler de révélation. D'ailleurs c'en est une. Tout d'un coup ça m'était égal que tu épouses le monde entier. Ce jour-là j'ai perdu une chose et j'en ai gagné une autre. Je sais très bien ce que j'ai perdu. Ce que j'ai gagné, je ne sais comment le nommer. Je sais seulement que c'est inépuisable.

L'enfant furieux a mis quinze jours pour mourir. C'est peu de temps, je le vois bien : chez d'autres il règne infatigable, tout au long de la vie. C'est ton rire devant mes plaintes qui a précipité les choses. C'est le génie de ton rire qui s'est enfoncé droit au cœur de l'enfant roi, c'est ta liberté pure qui m'a soudain ouvert tous les chemins.

Après la mort de l'enfant roi, et seulement après cette mort, l'enfance pouvait venir — une enfance comme un amour nomade, rieur, insoucieux des titres et des appartenances.

Si, comme ça, calmement, simplement, je cherche à formuler ce que j'aime en toi, je dirai que c'est ta liberté — c'est-à-dire ce point de ton cœur où tu devenais à toi-même imprévisible, c'est-à-dire encore ce qui, dans ton cœur, contrariait les désirs que l'on pouvait concevoir de toi, c'est-à-dire enfin ton amour et ton intelligence, car l'amour réel, l'intelligence charnelle et la liberté vécue ne font en nous qu'un seul cœur battant, volant.

Ce qui m'échappe dans ta mort m'échappait déjà de ton vivant. La mort ne change pas une vie en destin. Mourir ne referme pas le livre à sa dernière page, texte enfin déchiffrable. Même aujourd'hui je ne peux t'imaginer autrement que réfractaire, échappée, ton cœur fuyant dans la lumière.

Je t'ai toujours sue inaccessible même dans la plus claire proximité. Je t'ai aimée dans ce savoir.

Couverte d'enfants, mariée deux fois, prise dans mille liens — je n'ai jamais vu de personne plus libre que toi, plus libre, plus intelligente et plus aimante : puisqu'il s'agit trois fois du même mot, puisque chacun de ces mots, séparé des deux autres, est vide de nerf, de sens et de tout.

C'est imprévisible et cela vient de n'importe quel horizon : la nouvelle de ta mort m'est délivrée par petites touches, par à-coups, je crois à chaque fois l'avoir entendue, apprise, comprise, et puis non, c'est comme si tu étais partie à l'étranger, sans laisser ton adresse mais en écrivant, et comme « là-bas » il n'y a ni encre ni papier, tu te sers de n'importe quoi pour tes lettres, une odeur de seringa ou de violette, tes fleurs préférées, un mouvement des lumières, ou comme aujourd'hui l'image d'une allée d'arbres à la télévision, je ne sais pas pourquoi une si faible image me remet devant ta mort, ce n'était même pas un arbre réel, juste des points de couleur sur un écran et voilà, j'ai à nouveau appris que nous ne nous promènerions plus ensemble, que le bruit du vent dans les feuilles d'acacia avait divorcé d'avec la rumeur de ton rire, j'apprends chaque jour ainsi, il faut croire que j'oublie au fur et à mesure, nous, les vivants, sommes devant la mort de bien mauvais élèves, les jours, les semaines et les mois passent, et c'est toujours la même leçon au tableau noir.

Tu avais peu de biens. Des larmes et des rires, ce serait là l'essentiel de ce que tu laisses comme héritage. Les larmes, n'en parlons pas. Le rire, il roule dans la gorge de ta petite fille de quatre ans, Clémence, endiablée, joueuse, charmeuse, il éclate dans la voiture entre moi et ta grande fille de quinze ans, Hélène, tu sais comme on est à cet âge et comme on va vite à l'essentiel, elle me dit dans un voyage combien elle trouve désolantes, convenues, les plaques sur les tombes, et elle me fait part de son souhait, mettre une inscription : « à ma mère qui m'énervait souvent » — et nous éclatons de rire, elle et moi, bien sûr c'est impossible, le marbrier refuserait une telle commande et les gens seraient épouvantés de lire ça, mais je sais que tu te serais réjouie d'une telle parole d'amour, on n'a pas toujours besoin des mots de l'amour pour parler de l'amour, on a besoin du grave et du léger, pas du sérieux, surtout pas du sérieux, grave et léger, larmes et rires.

Je me promène avec Clémence au parc de la verrerie. Il y a une cabine téléphonique installée pas loin des jeux. Parfois, le mercredi, quand je voyais qu'elle et moi allions rentrer à la maison plus tard que prévu, je t'appelais de cette cabine, je t'expliquais que nous ne serions pas là à l'heure convenue mais que nous rentrerions bien, sains et saufs, barbouillés de rires, qu'il ne fallait pas t'inquiéter. Clémence, une semaine après ta mort, me montre cette cabine dans le parc. « Et si on l'appelait », me dit-elle. Je la fais entrer dans la cage de verre, je l'installe sur le rebord métallique qui sert pour les annuaires et je la regarde décrocher l'appareil, appuyer sur toutes les touches du cadran, et, pendant plusieurs minutes, se taire, écouter, n'intervenant que pour dire « oui, oui ». À la fin je lui demande : « Qu'est-ce qu'elle t'a dit ? » Elle me répond : « Elle demande si tout va bien et si on est encore tous ensemble. Je lui ai dit que oui et que je continuais à faire des bêtises avec le gros bêta. » Puis nous sortons de la cabine et revenons au doux travail de rire et jouer.

Il y a mille façons de parler aux morts. Il fallait la folie d'une petite de quatre ans et demi pour comprendre que nous avions peut-être moins à leur parler qu'à les entendre, et qu'ils n'avaient qu'une seule chose à nous dire : vivez encore, toujours, vivez de plus en plus, surtout ne vous faites pas de mal et ne perdez pas le rire.

Si je ne disposais que de deux mots pour te dire, je prendrais ces deux-là : « déchirée et radieuse ». Si je ne disposais plus que d'un seul, je garderais celui-là qui contient les deux autres : « aimante ». C'est un mot que tu portes à merveille, comme ces foulards de soie bleue autour de ton cou, ou ce rire dans tes yeux lorsqu'on venait de te blesser.

Il y a chez toi, en toi, disséminée dans ta vie, dans tes gestes, tes silences, tes rires, une pensée ininterrompue, profonde, grave. Jusqu'au dernier jour tu es en proie à une question dont tu cherches la réponse. Le samedi 12 août 1995, à treize heures, tu es dans la salle de réanimation de l'Hôtel-Dieu du Creusot. On va bientôt t'emmener par hélicoptère à Dijon. Il t'est laissé quelques heures de vie, et peut-être le mot de vie ne convient-il plus pour dire ces heures-là. Tu as un visage paisible, les yeux fermés comme au plus fort d'un songe, au bord de résoudre un très ancien problème. Je ne sais pas si tu as trouvé le fin fond de l'énigme. Je sais que, ta vie durant, tu n'as cessé de vouloir répondre à cette question, toutes les autres étant secondaires : qu'est-ce que l'amour ? C'est ta noblesse de ne t'être jamais satisfaite d'aucune réponse. Même lorsque tu formulais quelque chose à ce sujet, c'était de manière interrogative. Je viens de relire une carte que tu m'avais envoyée, représentant le baiser de Rodin. Au dos tu m'écrivais ceci — ce n'est pas moi, c'est toi qui soulignes les deux derniers mots : « Je voudrais que toute la vie soit ce baiser sublime, le plus beau — nature, enfants, promenades, et le plus dur — travail, vie sociale. Même les disputes entre les amants devraient être à l'image de ce baiser. Tout ne serait-il pas gagné si ce baiser embrassait la plénitude et *le manque éternel* ? »

Tu as onze ans quand ton père meurt. Sa photo ne t'a jamais quittée, elle te suit, noir et blanc, grand format, dans les maisons que tu habites. C'est ta mère qui t'a élevée. Ce sont les mères et elles seules qui vivent dans le plein temps des familles. Dans les premières années des enfants, les pères sont à demi présents. Des ombres un peu bruyantes. Quand ils s'installent enfin, vers les cinq, six ans de l'enfant, tout ou presque est accompli. Ils amènent avec eux cette poussière du dehors où ils ont vécu tout ce temps, cette rudesse des principes, cette obligation de se faire à la sauvagerie de vivre en société. C'est ta mère qui t'élève, ta mère et aussi ta grande sœur, Marie-Claude. À ta naissance, ta mère lui a dit qu'elle craignait de bientôt disparaître et qu'il faudrait qu'elle veille sur toi, comme une petite maman clandestine, une mère enfantine.

Tu auras toujours eu ainsi des anges d'appoint, et quand ils manquaient, tu allais les chercher, dans les livres par exemple. C'est drôle, les familles. Elles se veulent éternelles, et dans un sens elles le sont : on n'y change plus jamais de la vue qu'on y a des enfants, même quand ils grandissent. Cette vue est prise très tôt et pour toujours. On ne voit pas, on n'imagine pas les ombres qui traversent le cœur d'une adolescente, sagement penchée sur un livre écrit par une jeune femme à peine plus âgée qu'elle, Emily Brontë, *Les Hauts de Hurlevent.* Tu me parles souvent de ce livre, de cette lecture secrète faite au grand jour de tes seize ans. Peu de livres changent une vie. Quand ils la changent c'est pour toujours, des portes s'ouvrent que l'on ne soupçonnait pas, on entre et on ne reviendra plus en arrière. Tu meurs à quarante-quatre ans, c'est jeune. Aurais-tu vécu mille ans, j'aurais dit la même chose : tu avais la jeunesse en toi, pour toi. Ce que j'appelle jeune, c'est vie, vie absolue, vie confondue de désespoir, d'amour et de gaieté. Désespoir, amour, gaieté. Qui a ces trois roses enfoncées dans le cœur a la jeunesse pour lui, en lui, avec lui. Je t'ai toujours perçue avec ces trois roses, cachées, oh si peu, dessous ta vraie douceur. L'amour était sans doute en toi depuis ta naissance, de même que sa petite sœur, la gaieté. Le désespoir a dû venir avec l'éclat de tes seize ans, avec l'intuition qu'il n'y a jamais de répondant à l'amour, que l'amour est comme dans ce livre d'Emily Brontë : un fou qui court les montagnes et dort dans les genêts, une parole déchirée par le vent, sans écho. Les hommes ne savent pas répondre à cette parole-là. Il ne faut pas trop leur en vouloir. Qui sait répondre au vent qui court dans les genêts ?

Je viens de passer une semaine dans la grande ville barbare. Paris avec toi c'était incomparable. Tout avec toi était incomparable. Le monde, comme il se présente à nous, est fragmenté. Ici les courses dans une grande surface, ailleurs la visite d'une exposition de peinture. Tu as toujours tout mélangé, l'amour découvre son bien partout, dans le rayon chaussures d'un magasin comme devant une pomme peinte par Cézanne. Tu m'as mené, non, il faut que j'écrive au présent pur, au présent seul, il faut que j'écrive au plus-que-parfait du présent-seul, tu me mènes très loin dans ta vie quotidienne, jusqu'à ce point où la vie quotidienne et l'amour éternel ouvrent le bal, dans les bras l'un de l'autre.

C'est un soir à Paris, nous allons voir un film, comme on dit « un vieux film » de Dreyer, *Ordet*, quelle étrange expression, on ne parle pas d'un « vieux livre » et ce film-là est aussi bouleversant qu'un livre, *Ordet* cela veut dire « le verbe », la première image est celle de hautes herbes et d'un linge séchant sur un fil, d'un linge blanc fouetté par le vent noir, toujours la même histoire, toujours l'histoire du vent qui hurle dans les hauteurs, mais là, quelqu'un sait lui répondre, quelqu'un entre en conversation avec le dieu venteux et sombre, ce quelqu'un est un idiot, il traîne dans une maison où une femme meurt pendant ses couches et cet idiot, aidé par une petite fille, par la petite enfant de la morte, cet idiot est persuadé de la résurrection des corps et des âmes, des corps aussi, des corps surtout, il est affolé par ce qui brûle dans son cœur, même le prêtre qui est là, au fond, dans le fond n'y croit pas, il n'y a plus pour croire à l'incroyable que l'idiot et son double limpide, la petite fille, et voilà que l'idiot, pressé par l'enfant, pour répondre à la demande enfantine, s'approche du cercueil ouvert et appelle la morte, lui dit, et même lui crie : ça suffit comme ça, tu reviens maintenant, tu retournes près des tiens, tu n'as pas fini ton travail, et ce sont les mains qui bougent les premières, ce sont les mains croisées sur le ventre de la morte qui bougent lentement, puis un sourire sur le visage et les tonnes de vie qui font retour, et plus rien sur l'écran que le visage de cette femme épuisée par sa mort, trempée par les eaux de la mort et revenue, demi-parlante, ne sachant plus que bégayer, la vie, la vie, la vie. Tu as pleuré en voyant ce film. Je t'en ai trouvé la cassette plus tard. Elle est là-bas, chez toi. Je voudrais tellement la regarder encore, je ne supporterai plus jamais de la regarder, je voudrais regarder en face ce que je ne supporte pas, j'attends ton retour, c'est plus fort que moi, j'attends l'inattendu, quoi d'autre attendre, j'espère l'inespéré, quoi d'autre espérer, la vie, la vie, la vie.

Cette femme dans ce film accomplissait le même travail que toi, exactement le même : elle reliait les uns aux autres. Elle écoutait, veillait, confortait, acclimatait, tempérait. Elle faisait tenir ensemble une vie toujours en voie de morcellement. Comme elle tu n'as jamais maudit personne, jamais, pas même ceux qui t'ont déchirée, surtout pas ceux-là. Tu n'as jamais quitté personne. Les chagrins et les pesanteurs, oui, tu les désertais au plus vite. Dans une vue provinciale des choses, on pourrait dire que ta vie était pleine d'histoires. Une telle vue serait infirme et misérable. Les choses étaient beaucoup plus simples : ta vie était vierge d'histoires, dans tes histoires d'amour tu n'as jamais pris que l'amour. Je te dois une de mes grandes découvertes, je te dois ce savoir si précieux : l'amour ne tient jamais en place — et comment le pourrait-il ? Il n'y a aucune place pour lui dans ce monde. Pour y venir, il ne peut être qu'à ton image — insensé, dérangeant, inexplicable, fou, vivant, vivant, vivant.

Comme cette femme dans le film tu aurais pu mourir en donnant le jour. Deux fois tu l'as redouté, pour la naissance d'Hélène comme pour celle de Clémence. J'ai souvent pensé cette chose que je n'ai pas osé te dire, c'est bien la seule que je ne t'ai pas confiée, j'ai souvent pensé que quelque chose en toi te poussait aux lisières de mourir, par candeur, par extrême pureté de ton cœur fou. Aujourd'hui j'écris cette pensée, elle ne me donne la clé de rien, elle ne s'impose pas plus que d'autres, elle est là, une brume sur la terre vidée de ton rire.

Quand je pense aux lieux de nos promenades, je souris, pauvres lieux, quatre ou cinq, toujours les mêmes, la forêt de Saint-Sernin, le parc de la verrerie, un chemin près d'Uchon. Tu m'y emmènes dans les heures que te laisse l'Éducation nationale. Tu arrives précédée de ton soupir, tu es fatiguée, tu n'as pas beaucoup de temps à toi, tu auras éternellement été fatiguée, tu auras connu le manque éternel du temps, tu étais dans l'épuisement éternel d'un mariage, des enfants, d'un travail, le plus bel usage de cette vie c'est de n'en rien faire, tu auras très peu goûté à ce vrai luxe. J'ai cinq minutes, Christian, on va à Saint-Sernin — et tu marchais sur une allée toute droite, tu adoptais un pas nerveux, pressé, je m'essoufflais à te suivre, tu volais des forces à la nature, au temps manquant, à l'Éducation nationale et aux enfants dévoreurs d'amour. Ta première fille avait grandi, il ne te restait plus vraiment qu'un seul enfant à élever, la petite Clémence avec son visage rond et ses yeux graves, peu importe : tout en toi était démesuré, un seul enfant dedans ton cœur faisait déjà du bruit comme mille. Les arbres de Saint-Sernin, grands paresseux tétant le bleu du ciel, les arbres de Saint-Sernin, qui en avaient vu d'autres, nous regardaient passer au pas de charge, cinq minutes, Christian, il faut que j'aille chercher la petite à l'école, que je corrige un paquet de copies, que j'achète de l'huile et des pâtes, que j'écrive une lettre, il faut que je sois ce qu'on nous demande d'être à toutes : parfaite et en plus légère dans cette perfection, et non seulement légère mais disponible, et non seulement disponible mais parfumée, élégante, tous les soirs jouer à Cendrillon et toute la journée se demander comment diable changer les citrouilles en carrosse et cinq minutes de promenade en cinq siècles de bonheur, marche plus vite, Christian, et jette cette cigarette, tu ne profites même pas du bon air, on va jusqu'au sapin et on fait demi-tour, ça va, ce n'est pas trop court pour toi ?

Ce n'était jamais trop court, jamais « seulement » cinq minutes. C'était parfait, Ghislaine, et ce n'aurait pu être autrement puisque tu étais là, riante.

Je regarde les tiens, Clémence, Hélène, Gaël. Ils sont, quelques mois après, dans l'apprentissage de ton absence. C'est fou ce qu'une mort met de temps à nous atteindre. C'est fou comme nos crânes sont durs et ce qu'il faut de temps au réel pour les percer. Tes enfants sont dans des âges et des lieux différents. Je les regarde inventer, chacun à sa manière, un chemin là où l'on aurait pu croire qu'il n'y en avait plus.

Ce ne devait pas être facile de t'avoir pour mère. Toutes les mères sont impossibles — qu'elles aiment trop ou qu'elles n'aiment pas assez. Il n'y a pas en la matière de juste mesure. Tu as tout donné à tes enfants. Tu leur as même donné des armes pour résister à ta folie d'amour, pour trouver cet espace, en eux, qui leur était nécessaire, où personne n'a le droit d'entrer — et surtout pas une mère. Le dernier livre que tu auras lu était une méditation de Françoise Lefèvre sur l'autisme, l'école, la vie empêchée, l'imbécillité grave des institutions et de ceux qui les servent sans nuance. Les imbéciles manquent d'amour pour voir et pour entendre, c'est à ce manque qu'on les reconnaît. Une des phrases qui te ravissait le plus, tu la trouvais éclairante, as-tu dit à l'auteur, « surtout pour les mères » : « Je vous aime et je me bats contre vous. » Tes enfants auraient pu te dire la même chose à certains moments. D'ailleurs ils te le disaient : je t'aime et je me bats contre toi. La vie dans tes entours n'était pas de tout repos et c'était bien ainsi : nous avons toute la mort pour nous reposer.

Ton dernier voyage te mène de Saint-Ondras au Creusot, le vendredi 11 août 1995. Clémence est avec toi, à l'arrière de la voiture. Tu roules à une vitesse folle, tu veux à tout prix arriver avant le départ de tes deux autres enfants pour Lyon. Lorsque tu veux une chose à tout prix tu es terrible, magnifique. Il est rare que tu échoues. Tu arrives juste à temps. Les trois sont maintenant dans la cour, plaisantant avec toi, plaisantant de toi, Clémence, Hélène, Gaël. Tu auras pu les voir alors que la faux commençait dans l'ombre à s'abattre sur toi.

Tu auras ri, presque jusqu'au dernier instant, avec les trois amours essentiels de ta vie.

Dans les jours qui ont suivi ta mort, les photographies de toi m'étaient insupportables. Aujourd'hui elles me sont indifférentes. Les dernières ont été prises quatre jours avant ta mort. J'y apparais à tes côtés. Je les regarde sans émotion. Je n'ai pas besoin de preuves, de traces, de signes. Tu ne m'as jamais appartenu. Tu n'as jamais appartenu à personne. Tu as aimé d'amour entier ceux que tu as rencontrés, et dans cet amour tu n'as cessé d'exercer ta liberté radieuse. Il n'y a pas d'image de cette liberté. Il ne peut y en avoir. Tu n'es pas dans les photographies. Tu es dans ce goût que j'ai de vivre, tu es dans ces gens que je rencontre quand ils sont libres, et tu es dans les mots d'un poète comme Antonin Artaud — je ne peux les relire sans immédiatement te voir, toi, bien plus sûrement que dans la désolation des images :

« Nous ne pouvons aimer personne sans vouloir automatiquement le prendre dans notre cœur, alors que l'être est de donner du cœur à ceux que l'on aime sans les ramener jamais à soi, et comment donner du cœur pendant l'éternité ? »

La réponse, tu l'as. La réponse, chacun la sait. La réponse c'est de maintenir tout le temps de sa vie l'inquiétude de la question, la réponse c'est de ne pas répondre et demeurer éternellement à l'intérieur de la question, dansante, riante, *ghislainienne.*

J'écris sous la lumière de cette phrase d'Artaud. J'écris pour te donner à voir. Je n'ai aucune inquiétude pour toi. Que cette vie ne soit qu'une étincelle dans le néant, ou qu'elle soit l'écran d'une autre vie, peu importe. Dans les deux hypothèses, néant ou Dieu, tu as fini ton travail sur cette terre, le 12 août 1995. Tu n'as abandonné personne. Tu t'es simplement engouffrée dans cette mort comme tu allais partout — droit à l'essentiel, et d'une manière rude. Ton visage, proche de ceux caressés par les peintres de la Renaissance, ne diffusait pourtant qu'une grande douceur. Ce n'était pas mentir : la douceur était en toi à l'état brut. La douceur n'est rien de gentil ni d'accommodant. La vie est violente. L'amour est violent. La douceur est violente. Si nous sommes tant surpris par la rudesse de la mort, c'est peut-être que nous avons mis nos vies dans des zones trop tempérées, tièdes, presque fausses.

Tu es adorée, adulée, comblée, choyée, et tu n'as pas une vie facile. Personne n'a une vie facile. Le seul fait d'être vivant nous porte immédiatement au plus difficile. Les liens que nous nouons dès la naissance, dès la première brûlure de l'âme au feu du souffle, ces liens sont immédiatement difficiles, inextricables, déchirants. La vie n'est pas chose raisonnable. On ne peut, sauf à se mentir, la disposer devant soi sur plusieurs années comme une chose calme, un dessin d'architecte. La vie n'est rien de prévisible ni d'arrangeant. Elle fond sur nous comme le fera plus tard la mort, elle est affaire de désir et le désir nous voue au déchirant et au contradictoire. Ton génie est de t'accommoder une fois pour toutes de tes contradictions, de ne rien gaspiller de tes forces à réduire ce qui ne peut l'être, ton génie est d'avancer dans la déchirure, avec la déchirure, par la déchirure, ton génie c'est de traiter avec l'amour sans intermédiaire, d'égal à égal, et tant pis pour le reste. D'ailleurs : quel reste ?

Avec le temps bien des gens lâchent. Ils disparaissent de leur vivant et ne désirent plus que des choses raisonnables. Ils disent : « C'est la vie, c'est comme ça, il y a des choses impossibles, il vaut mieux ne plus en parler, ne même plus y penser puisque c'est comme ça, impossible. » Toi, tu n'as jamais rien cédé. Tu as toujours tenu ton impatience serrée contre ta douceur. Désespérer de l'amour c'était pour toi une manière d'aimer encore. Tes yeux le disaient, ta voix le disait, ta vie entière le disait : tu n'étais qu'amour, à tel point que je me demande ce que la mort a pu saisir en toi, parce que « ça », elle ne peut faire main basse dessus.

Nous lisons mal et bien trop vite. Dans cette parole si connue de Thérèse d'Avila, le mot important, que négligent presque tous les lecteurs, est le mot « comme » : « L'amour est fort *comme* la mort. » Tu n'as jamais rien cru d'autre.

La dernière année tu te mets en tête d'apprendre à lire à Clémence. Elle a alors trois ans. Elle aime les livres et, à la bibliothèque municipale, elle choisit volontiers les plus épais. Un jour je viens chez toi et je découvre des mots partout, écrits deux fois, d'abord en lettres capitales, et dessous le même mot en lettres minuscules. Sur la porte du salon, un gros carton blanc, scotché, avec dessus : PORTE DU SALON, *porte du salon.* Sur le frigo, même chose : FRIGO, *frigo.* Et ainsi dans toutes les pièces, sur les chaises, les meubles. Cela ajoute au désordre de la maison, désordre que tu as toujours su mener à un haut point de perfection. Tu souhaites que ta fille apprenne à lire ? Rien de plus simple : tu changes la maison entière en livre d'images. Parfois Clémence joue avec toi dans cette constellation de mots, et parfois non, cela ne l'intéresse plus, elle va ailleurs, vers d'autres choses. Tu n'insistes pas. Ton désir, si fort soit-il, ne t'assourdit pas : ce qui compte c'est bien la joie des enfants, d'où qu'elle vienne — d'un alphabet tombé du ciel ou de bêtises inventées dans le retrait d'une chambre.

Dans le couloir qui mène à la cuisine, tu as épinglé au mur, à soixante centimètres au-dessus du sol, un calendrier représentant des peintures de Léonard de Vinci. Comme je m'étonne de le voir mis aussi bas, tu m'expliques qu'ainsi il est à la hauteur des yeux de l'enfant, qu'elle passera devant plusieurs fois par jour et que la beauté nous instruit autant que le reste, peut-être plus que le reste. Je te reconnais dans ce souci. Je ne vois pas de plus magnifique preuve d'intelligence que d'avoir pensé à mettre cette peinture à cette hauteur-là, exactement : l'intelligence c'est proposer à l'autre ce qu'on a de plus précieux, en faisant tout pour qu'il puisse en disposer — s'il le souhaite, quand il le souhaite. L'intelligence, c'est l'amour avec la liberté. Tu vois : toujours la même donnée, toujours toi partout, à soixante centimètres au-dessus du sol comme au fond des cieux rouges de l'automne.

Je te vois traverser le petit arpent de terre qui sépare, ou plutôt qui relie, à Saint-Ondras, la maison de ta mère à la maison de ta sœur. Un terrain en pente douce. En haut, près de la première maison, un sapin gigantesque, sans allure, migraineux, on dirait un de ces adolescents comme il en pousse dans les familles, on les regarde à douze ans, ils sont encore en train de jouer aux billes, on se retourne trois ans après, ils sont devenus des géants malhabiles, empêtrés d'eux-mêmes. En bas, devant la seconde maison, un tilleul, moins haut que le sapin, plus ventru, sûr de lui, presque un notable. L'été, il s'amuse à éparpiller la monnaie de ses feuilles sur la toile cirée de la table en dessous. Je ne sais pas comment ces deux arbres ont été informés de ta mort. Ils ont bien dû se rendre compte, le mercredi 16 août 1995, jour de l'enterrement, qu'il y avait, auprès d'eux, beaucoup plus de monde que d'habitude, et que tout ce monde faisait étrangement bien peu de bruit. Tu adorais Saint-Ondras. Tu venais y faire provision de repos, de lecture, d'amitié. Ces deux-là, le sapin et le tilleul, l'adolescent et le notable, tu les as aimés, ils ont dû recueillir un peu de ton rire, assez pour enlever aux étés à venir cette teinte funèbre qui ne t'irait pas, qui ne leur irait pas non plus, qui n'irait à personne.

Je reviens au Christ, mais le mot revenir ne convient pas, ce n'est pas en arrière, c'est en avant que « ça » se passe, c'est toujours « en avant » que ça se passe, je vais donc au-devant de cette parole sauvage du Christ, « laissez les morts enterrer les morts », j'aime cette parole, je suis en accord avec elle, je ne parle ici que d'une vivante, je parle de celle que je vois traverser le petit arpent qui sépare, ou plutôt qui relie, l'obscure forêt du temps à la clairière de l'éternel. Un terrain en pente douce.

J'écoute le *Requiem* de Fauré, enfin je l'écoute dans ma tête, je n'ai plus le disque, je ne le retrouve plus, j'ai beaucoup trop de disques ici, beaucoup trop de livres, beaucoup trop de tout, j'écoute sans rien cette musique douce comme de l'eau, un requiem et pourtant la mort n'y parle que de la vie, à croire qu'il n'y a pas de mort, qu'il n'y a que la vie dans ses ondulations et ses robes changeantes, je n'aime pas les autres requiem, les machineries de Mozart ou Verdi célèbrent la mort à crâne de pierre, elles font entrer la nuit en froid cortège, je n'aime que cette musique que je n'ai plus besoin d'entendre, une main de lumière sur ton visage éteint, une douceur longtemps poursuivie, depuis dix ans tu faisais partie d'une chorale et cette année tu devais chanter le *Requiem* de Fauré, voilà, tu ne le chanteras pas, je n'ai plus besoin de ce disque et il ne me manque pas, je me demande ce matin de quoi j'ai besoin, du silence peut-être, de ce silence comme du sable où viennent battre toutes paroles, toutes musiques, j'écris pour gagner ce silence, au lendemain de ta mort j'ai pensé que je n'écrirais plus, la mort nous rend souvent ainsi, la mort nous mène à des enfantillages, il y a quelque chose de puéril dans la mélancolie, on veut punir la vie parce qu'on estime qu'elle nous a punis, on est comme ces enfants qui boudent et bientôt ne savent plus sortir de leur bouderie, et puis très vite j'ai su qu'il me restait au moins un livre, au moins celui-là, c'était tout de suite ou dans dix ans, maintenant j'y vois clair, c'est tout de suite et ce sera aussi dans dix ans, sur le disque de Fauré il y avait le requiem, et juste après le *Cantique* de Racine, j'ai longtemps confondu les deux œuvres en une seule, le cantique est doux comme neige, dans dix ans je ferai venir la neige dans un autre livre sur toi, dans dix ans où seras-tu, toujours dans ce silence, toujours dans cette douceur qui imprègne les heures de chaque jour sans passer avec elles, sans passer avec elles, sans passer avec elles.

Je reviens de Grenoble où vit Hélène. Décidément tu me fais beaucoup voyager. Trois heures et demie de route dont je commence à connaître chaque détail. C'est après Les Abrets, à quelque six ou sept kilomètres du cimetière où tu reposes, que la route s'élève, que le blanc des montagnes et le vert des forêts entrent en rivalité avec le bleu du ciel. Avant, il y a la Bresse et puis cette partie de l'Isère qui est encore plate. La campagne autour de Saint-Ondras ressemble à celle du Creusot, avec moins de bois et de forêts. Tu auras passé ta vie entre ces deux régions, la Bourgogne et le Dauphiné. Mais je m'exprime mal. Une région c'est trop flou pour le cœur. Mon pays fait vingt et un centimètres de large, sur vingt-neuf de long : une feuille de papier blanc. En lisière il y a la ville du Creusot et, si je veux être juste, il me faut ajouter quelques morceaux de campagne alentour. Autun est à moins de trente kilomètres et ce n'est déjà plus chez moi. Lorsque j'allais à l'université de Dijon, passé Chagny, à vingt minutes d'ici en voiture, j'étais à l'étranger. Je pouvais marquer le passage au mètre près, à telle disparition des arbres. Les terres où nous vivons sont comme les personnes, identifiables à des riens, à telle couleur d'un ciel, tel accident d'un sol. Ton pays, pour moi, ce n'est pas l'Isère, c'est une maison, un type de maisons, ce qu'on appelle les maisons dauphinoises. Elles ont un toit singulier. Il se dégage d'elles quelque chose de compact et d'aérien, une harmonie qui réjouit les yeux. Elles me font penser à cette pureté des lignes et à ce chiffre d'or soudain trouvé partout au dix-septième siècle, dans les pièces de Racine comme dans l'architecture des palais. Ton cœur, parfois si brusque, devait avoir cette forme-là, compacte et aérienne. Pour être honnête il me faut préciser que, si tu avais vécu dans un autre pays, j'aurais trouvé à celui-ci des charmes aussi grands. Nous n'habitons pas des régions. Nous n'habitons même pas la terre. Le cœur de ceux que nous aimons est notre vraie demeure.

C'est une maison de ce style dauphinois que tu souhaites acheter, la dernière année, dans ton village, ton nid, ton terrier, ta retraite de Saint-Ondras. Tu la trouves et il t'est impossible d'y entrer. D'autres se sont portés acquéreurs quelques minutes avant toi, tu réussis à convaincre les propriétaires de revenir sur leur promesse de vente, un procès s'ouvre, la justice est lente, encore plus lente que toi, tu téléphones régulièrement aux propriétaires, tu leur rappelles ton désir, toi qui te moques des biens matériels, c'est la première fois que tu te bats sans relâche, jusqu'au bout. Tu parles souvent de cette maison, tu en parles de manière presque obsessionnelle. On te fait valoir les problèmes, l'électricité à installer, la neige sur les chemins l'hiver. Tu réponds : oui, mais vous avez vu ce rosier sauvage devant le mur, vous sentez cette douceur de l'air sur la terrasse, vous ne trouvez pas que ce petit jardin en pente est plein de charme ? Dans les choses que nous voulons il y a toujours plus que les choses elles-mêmes. Cette maison, tu en rêves pour tes enfants, plus tard. Tu désires aussi en elle ta part de solitude, tu veux en elle cette solitude que ne supportent jamais les maris, qui ne les regarde pas, qui ne regarde même pas les enfants, trois fois rien de solitude sur les hauteurs de Saint-Ondras, une pièce presque vide où penser, rêver, lire, attendre, un endroit dans

ce monde où tu n'aurais plus à répondre « présente » quand on te parle, un petit espace dauphinois de solitude, de lumière et de calme.

Les hommes sont des petits garçons obéissants. Ils vivent comme on leur a appris à vivre. Quand le temps est venu de quitter leur mère, ils disent : d'accord mais il me faut une femme, j'ai droit à une certaine quantité de femme rien qu'à moi, il me faut une femme dans mon lit, à ma table, une mère pour mes enfants et pour moi qui resterai inguérissable de mon enfance. Et parce qu'il leur semble que le meilleur moyen de tenir une femme, c'est encore de l'épouser, alors ils épousent et prennent le mariage comme un fléau de plus, une corvée inévitable comme celle du travail salarié ou des courses à faire le samedi. Quand ils ont leur femme, ils n'y pensent plus. Ils jouent avec un ordinateur, réparent une étagère, passent la tondeuse dans le fond du jardin. C'est leur manière de se reposer d'une vie vécue comme une intempérie. C'est leur manière de partir sans partir. Avec le mariage quelque chose finit pour les hommes. Pour les femmes, c'est l'inverse : quelque chose commence. Dès l'adolescence les femmes vont droit à leur solitude. Elles y vont si droit qu'elles l'épousent. La solitude peut être un abandon et elle peut être une force. Dans le mariage les femmes découvrent les deux. Le mariage est une histoire très souvent voulue par les femmes et par elles seules, rêvée en profondeur par elles seules, portée par elles seules, ce qui fait que parfois elles se lassent et désertent : quitte à être seules, autant l'être pleinement.

Tu t'es mariée deux fois. Deux fois dans l'innocence et l'amour pur. Et pourtant cette révélation, j'en jurerais, t'avait été donnée très tôt, bien avant même ton premier mariage : personne ne pourrait suffire à ce besoin d'amour en toi. Personne ne peut combler l'abîme qui nous tient lieu de cœur — sauf Dieu peut-être, mais celui-là, on n'a pas encore trouvé le moyen de le traîner à la mairie. Sans doute est-ce sur ce point que tu m'échappes le plus. Il me manque sûrement d'avoir connu cet état du mariage, on ne peut comprendre que par expérience, par saisie brute de la vie dans notre vie.

Lorsqu'on entre dans un lien, quel qu'il soit, on en connaît tout à l'avance. Il suffit de voir une personne passer une porte, de regarder la manière qu'elle a de voyager avec son âme pour tout deviner d'elle, passé, présent, avenir. Ce que les présences donneront plus tard, elles le donnent immédiatement. Alors qui épouse-t-on lorsqu'on épouse ? Qu'y a-t-il dans le cœur d'une mariée ? Des siècles de théologie ou de psychanalyse m'éclairent là-dessus beaucoup moins qu'une chanson d'Édith Piaf. C'est une chanson de quatre sous et ces quatre sous valent de l'or. C'est une chanson qui dit l'évidence — une femme amoureuse oublie tout, même ce qu'elle sait de l'amour : non, rien de rien, non, je ne regrette rien, ni le bien qu'on m'a fait, ni le mal, tout ça m'est bien égal, non, rien de rien, je ne regrette rien, car ma vie, car mes joies, aujourd'hui, ça commence avec toi.

Il y a quelque chose de terrible dans chaque vie. Il y a, dans le fond de chaque vie, une chose terriblement lourde, dure et âpre. Comme un dépôt, un plomb, une tache. Un dépôt de tristesse, un plomb de tristesse, une tache de tristesse. À part les saints et quelques chiens errants, nous sommes tous plus ou moins contaminés par la maladie de la tristesse. Plus ou moins. Même dans nos fêtes elle peut se voir. La joie est la matière la plus rare dans ce monde. Elle n'a rien à voir avec l'euphorie, l'optimisme ou l'enthousiasme. Elle n'est pas un sentiment. Tous nos sentiments sont soupçonnables. La joie ne vient pas du dedans, elle surgit du dehors — une chose de rien, circulante, aérienne, volante. On lui accorde beaucoup moins de crédit qu'à la tristesse qui, elle, fait valoir ses antécédents, son poids, sa profondeur. La joie n'a aucun antécédent, aucun poids, aucune profondeur. Elle est toute en commencements, en envols, en vibrations d'alouette. C'est la chose la plus précieuse et la plus pauvre du monde. Il n'y a guère que les enfants pour la voir. Les enfants, les saints, les chiens errants. Et toi. Tu l'attrapes au vol, tu la redonnes aussitôt, il n'y a rien d'autre à en faire. Et tu ris, tu ne sais que rire devant tant de richesse donnée, reçue. Tu as pourtant affaire, comme chacun, à cette chose terrible dans ta vie, à cette ombre terriblement lourde, dure, âpre. Tu lui fais place comme au reste. Tu ouvres la porte à la tristesse si aimablement qu'elle en est perdue, qu'elle en perd ses manières sombres et qu'on ne la reconnaît plus.

La grâce se paie toujours au prix fort. Une joie infinie ne va pas sans un courage également infini. Dans tes rires c'est ton courage que j'entendais — un amour de la vie si puissant que même la vie ne pouvait plus l'assombrir.

La première neige a plané, frivole, au-dessus de la terre froide, elle est venue en avant-garde, n'est pas restée, est repartie légère, trois petits tours, deux airs de danse, la neige est une enfant, la mort est une enfant, l'amour est une enfant, la mort comme l'amour nous donnent même stupeur blanche, l'amour comme la neige, la mort comme l'amour, réveillent en nous les fièvres de l'enfance, la mort saisit des nouveau-nés, des vieillards ou des fées de quarante-quatre ans, quarante-quatre ans et demi, juste avant de les prendre elle leur enlève leur âge, la mort, l'amour et la neige nous ravissent hors du temps, devant la neige nous sommes tous des enfants, devant l'amour nous sommes tous des enfants, devant la mort nous sommes tous des enfants, la neige est une enfant en robe blanche, une petite fille qui fait ses premiers pas sur terre, une petite fille d'un an, un an et demi, elle apparaît, elle disparaît, elle réapparaît l'année suivante et elle a toujours le même âge, elle ne vieillit pas, tu lui ressembles désormais, tu as jusqu'à la fin des temps quarante-quatre ans, quarante-quatre ans et demi, tu avais peur de vieillir, tu ne vieilliras plus et ton nom, jusqu'à la fin des temps, à le prononcer, fera venir sur le bout de ma langue cette fraîcheur des premiers flocons de neige, trois petits tours, deux airs de danse, j'étais content de voir cette première neige, j'étais heureux et malheureux, je commençais la litanie des *ne plus jamais*, tu ne verras plus jamais de neige, tu ne verras plus jamais de lilas, tu ne verras plus jamais de soleil, tu es devenue neige, lilas, soleil, j'étais triste et heureux de te retrouver là, dansante comme toujours entre ciel et terre, éparpillée en lumière blanche, si fraîche, si jeune, trois petits tours, quarante-quatre ans, deux airs de danse, neige, lilas, soleil et encre, je te retrouve partout toi qui n'es plus nulle part, je te retrouve même dans les livres, après ta mort j'ai eu du mal avec la lecture, ça va un peu mieux maintenant, un titre suffit, le regard sur un titre de livre, je tourne la tête vers la bibliothèque, les deux livres que j'avais mis debout sont toujours là, tu avais vu leurs titres, maintenant tu es passée en eux, dans la douceur qu'ils donnent, dans la neige qui brille sous ces titres, *Le miroir des âmes simples et anéanties, Ma vie sans moi,* j'ai ajouté un troisième titre que tu ne connais pas, j'ai mis debout un troisième livre, je l'ai retrouvé hier sous mon lit, sa couverture à moitié déchirée ou plutôt rongée, il y a quelques années Hélène avait un lapin, pour des vacances tu m'avais demandé de le garder, je l'avais sorti de sa cage et il avait transformé l'appartement en terrier, la nuit il rongeait des livres, pas n'importe lesquels, je suppose qu'il était attiré par le goût et l'odeur de certains papiers, ce livre-là, un livre de philosophie, devait lui plaire beaucoup, il a dévoré la moitié de la couverture, le titre reste lisible, *La présence totale,* je l'ai ouvert et j'ai trouvé cette phrase : « Le petit livre qu'on va lire exprime un acte de confiance dans la pensée et dans la vie », j'ai refermé le livre et j'ai souri, ce n'était pas la peine d'aller plus loin, tu étais là, entière dans la gaieté de quelques mots, après ta mort je n'ai pu toucher que des livres de philosophie, je ne leur demandais ni sens ni réponse, je sais bien qu'ils ne peuvent pas les donner, non, ce qui me touchait, c'était leur voix, leur style, leur ton, il y a quelque chose de calmant dans la philosophie, une manière de parler du vivant comme si on était déjà mort, cette période-là n'a pas duré, ce qui dure c'est le courrier, les lettres que je reçois « comme écrivain », les demandes qu'on me fait, je n'y réponds plus depuis le 12 août 1995, je n'y répondrai plus, ta mort poursuit en moi le travail de ta vie, elle me délivre, elle me détache, elle donne à ma vie l'apesanteur de ces titres, *Ma vie sans moi, Le miroir des âmes simples et anéanties, La présence totale,* je regarde souvent ces livres puis je reviens à la fenêtre, si éclairants soient les grands textes, ils donnent moins de lumière que les premiers flocons de neige.

Je viens de lire le livre que tu proposais chaque année à tes élèves : *L'ami retrouvé* de Fred Uhlman. L'histoire se passe dans l'Allemagne des années trente. C'est une histoire éternelle, celle de la barbarie naissante et comment elle se glisse dans les têtes les plus faibles. J'aurais aimé assister à tes cours, entendre tes commentaires sur ce livre. Mais je les entends. Tu n'as jamais passé de compromis avec ce monde. Tu es allée jusqu'à ta quarante-quatrième année avec un cœur de seize ans, et dans ce cœur il n'y a aucune place pour la lassitude raisonnante, la résignation au pire. Tu as eu le temps de voir ton métier entamé par la logique de ce monde marchand. Ouverture de l'école aux entreprises, adaptation d'un système périmé, les discours n'ont pas manqué. Les discours de la servitude ne font jamais défaut. Proposer la lecture de Fred Uhlman, c'était donner aux esprits un appui, le calme et la stupeur indispensables à toute pensée juste. On ne sait jamais ce que deviennent les paroles que l'on profère, les phrases que l'on écrit. Qu'un seul de tes élèves se soit saisi de ce livre pour nourrir sa réflexion, sur lui et sur le monde, et tous tes efforts étaient récompensés. Ce livre ne parle pas seulement de l'Allemagne des années trente. Il montre le mal à son point de naissance. Le mal n'est jamais spectaculaire à ses débuts. Le mal commence toujours gentiment, modestement, on pourrait dire : humblement. Le mal s'insinue dans l'air du temps comme de l'eau sous une porte. D'abord presque rien. Un peu d'humidité. Quand l'inondation survient, il est trop tard. Le mal a pour auxiliaires la tiédeur et le bon sens des braves gens. Le pire dans cette vie aura toujours été amené par ce qu'on appelle des braves gens. J'aurais aimé te montrer cette lettre de Dostoïevski que je viens de découvrir : « Savez-vous qu'il y a énormément de gens qui sont malades de leur santé précisément, c'est-à-dire de leur certitude démesurée d'être des gens normaux ? » Je ris en écrivant cette phrase, je ris de l'évidence : tu n'étais pas du tout normale, Ghislaine. Tu étais admirablement folle.

Le monde n'est si meurtrier que parce qu'il est aux mains de gens qui ont commencé par se tuer eux-mêmes, par étrangler en eux toute confiance instinctive, toute liberté donnée de soi à soi. Je suis toujours étonné de voir le peu de liberté que chacun s'autorise, cette manière de coller sa respiration à la vitre des conventions, et la buée que cela donne, l'empêchement de vivre, d'aimer. Tu avais, Ghislaine, la plus belle respiration qui soit, la plus ample et la plus fraîche, et c'est peut-être ce qui rend ta mort si vive : on dirait la mort d'une enfant, une pesanteur soudain accrue du monde — presque plus d'air.

Deux visages m'ont éclairé dans ce monde. Ces deux visages sont aujourd'hui retournés sous la terre. Le premier souriant, le second riant aux éclats, ils continuent de me donner tous leurs feux même là où ils sont, sous la terre noire, profonde.

Le premier visage est celui d'une femme. Elle a sur les photographies une trentaine d'années. On ne voit pas son corps, seulement son visage et son buste. Elle porte un chemisier de dentelle fine. Elle regarde droit devant elle, elle sourit légèrement. C'est un visage qui sort d'une nuée de dentelles blanches, avec dans ses entours la nuit des temps, cette époque que l'on appelle « l'entre-deux-guerres ». C'est la mère de ma mère. Je ne l'ai vue que deux fois. La première fois je suis petit, je rends visite avec ma mère à une vieille dame, dans une maison avec beaucoup de couloirs. La deuxième fois on la sort d'un casier pour la mettre dans un cercueil. Elle a vécu pendant quarante ans, un peu plus, un peu moins, dans des hôpitaux psychiatriques. Paranoïa, c'est le nom de la maladie. Un nom comme un trousseau de clés, un nom fermé à double tour. Le malheur, comme la richesse, s'entasse sur plusieurs générations. Il suffit ensuite d'une seule personne pour le consommer tout. Je ne sais presque rien des ancêtres de cette femme, dans quels lointains s'était conçue sa souffrance. La maladie n'est jamais une cause. La maladie est une réponse, une pauvre réponse que l'on invente à une souffrance. Je connais la réponse, je ne sais pas quelle était la question. « Dépression », puis manque de médicaments et frivolité des médecines de l'époque, l'internement devient un jour inévitable. J'ai connu son mari. Il est resté jusqu'à sa mort chez mes parents. Ce n'était pas un mauvais bougre, simplement ce n'était pas le genre d'hommes sur qui une femme peut s'appuyer. Ce genre d'hommes que recherchent les femmes existe-t-il ? J'ai comme tout le monde des yeux pour voir. Et je vois. Et j'écris suivant ce que je vois. Dès que j'ai commencé à écrire, je me suis tourné vers cette photographie. Pourquoi, je l'ignore. De cette ignorance je tire force et clarté.

Le second visage, bien sûr, c'est le tien. Il ressemble au premier comme une photo à son négatif. Tout y est mais renversé. La folie chez toi tourne à la vie. Tu es la personne la plus saine que j'aie jamais vue. Tu as voulu ce que veulent toutes les femmes depuis le premier jour du monde, tu as voulu la liberté et l'amour, l'amour ouvert dans la liberté, la liberté exercée dans l'amour. C'est impossible ? Oui c'est impossible, et pourtant tu l'as vécu et tu n'as jamais renoncé à le vivre. Cela n'empêchait pas les blessures, les impasses. Même les femmes libres ne sont jamais tout à fait libres. Elles vivent toujours entre deux guerres.

Et c'est la neige qui revient et cette fois-ci elle reste, elle simplifie la vue en recouvrant les petites différences du paysage, et c'est ta mort qui s'attarde et recouvre les petites singularités de ton séjour sur terre, cette préférence accordée par toi à de menus objets, le coussin que tu mets sur ton siège de voiture, le chapeau orangé de forme conique qui te sert à traverser l'été, les réglisses que tu caches dans le fond d'un tiroir et que ta fille Hélène réussit toujours à découvrir, la robe de chambre en laine lourde, mauve, que tu as longtemps portée chez toi et dont n'aurait pas voulu un clochard, le Walkman avec lequel tu écoutes des cassettes parlant de Nietzsche, Kierkegaard ou Pascal, le chocolat chaud que tu bois comme les enfants après l'école, les plantes vertes que tu nourris sur les balcons de ton appartement et qui s'obstinent à dépérir, mille attaches fines de la vie à ta vie, la mémoire fait le tri, une coulée de neige vient lentement sur ces infimes particules de la matière à quoi ton bien-être s'attachait, coussin, chapeau, robe de chambre, réglisse, chocolat fumant dans le bol, lumière calme des plantes vertes, ces petites choses seront prises dans quelques années, peut-être quelques mois, dans une coulée de lumière blanche, elles ne seront pas oubliées pour autant, elles auront changé de place et d'ombre, elles ne diront plus la douceur de vivre sur terre, elles seront devenues des images colorées de ta vie éternelle, là où tu es, qui n'est pas un endroit, qui n'est pas un espace, là où tu es, je t'imagine et je ne peux pas ne pas t'imaginer buvant un chocolat chaud, enveloppée dans ta vieille robe de chambre mauve, il n'y a guère que le Walkman qui aurait disparu, les voix du ciel sont autrement plus claires et justes que celles de Nietzsche, Kierkegaard ou Pascal.

« Les voix du ciel. » Je ne sais pas ce que j'écris lorsque j'écris de telles choses. Les voix du ciel, je voudrais bien les entendre, mais pour l'instant c'est impossible. Il faudra qu'à mon tour j'accomplisse ce pas minuscule que tu as fait dans la matinée du 12 août 1995. Il faudra qu'à mon tour j'aille voir de l'autre côté de l'air et de la lumière. En attendant ce jour, je n'ai que cette terre pour réfléchir. En attendant tout se passe ici, maintenant, comme dit la vieille prière : « maintenant et à l'heure de notre mort ». J'aime cette formule usée, vieillotte, ces trois mots agglomérés comme trois morceaux de cire fondue au bas d'un chandelier — *maintenant* et à *l'heure* de notre *mort.* Le temps dans cette prière n'est fait que de ces instants : l'instant présent et l'instant de mourir. L'avenir n'est rien. Le passé n'est rien. Il n'y a que l'instant présent, jusqu'à ce que celui-ci coïncide avec celui de notre mort. L'amour est encore la meilleure façon d'employer cet instant — une manière de séjourner auprès de ce que la vie a de plus faible et de plus doux.

Un jour, c'est un jour d'été, nous nous baignons dans les eaux de Montaubry près du Creusot, nous nageons l'un à côté de l'autre, je ne peux m'empêcher de te parler même dans l'eau, j'ai toujours mille choses à te dire, et me vient en tête, dans l'eau, sous le soleil, cette définition de toi, sachant que tu échappes à toute définition, je te dis, tu veux savoir qui tu es pour moi, eh bien voilà : tu es celle qui m'empêche de me suffire. J'ai une grande puissance de solitude. Je peux rester seul des jours, des semaines, des mois entiers. Somnolent, tranquille. Repu de moi-même comme un nouveau-né. C'est cette somnolence que tu es venue interrompre. C'est cette puissance que tu as renversée. Comment pourrai-je jamais t'en remercier ? On peut donner bien des choses à ceux que l'on aime. Des paroles, un repos, du plaisir. Tu m'as donné le plus précieux de tout : le manque. Il m'était impossible de me passer de toi, même quand je te voyais tu me manquais encore. Ma maison mentale, ma maison de cœur était fermée à double tour. Tu as cassé les vitres et depuis l'air s'y engouffre, le glacé, le brûlant, et toutes sortes de clartés. Tu étais celle-là, Ghislaine, tu l'es encore aujourd'hui, celle par qui le manque, la faille, la déchirure entrent en moi pour ma plus grande joie. C'est le trésor que tu me laisses : manque, faille, déchirure et joie. Un tel trésor est inépuisable. Il devrait me suffire pour aller de « maintenant » en « maintenant » jusqu'à l'heure de ma mort.

Trois jours avant ta mort, tu es encore à Saint-Ondras, tu me proposes une promenade jusqu'au pont rouge. Ce pont est à trois cents mètres de la maison de vacances. Il n'a de rouge que le nom. C'est une promenade que tu fais souvent quand le temps te manque. Je t'apprends en marchant que je vais écrire un livre prochain sur toi, directement sur toi, tu souris, je te dis que j'ai déjà la première phrase : « Si je bénis cette vie, c'est parce que tu y es. » Tu t'arrêtes, tu me demandes : et si je n'y suis plus, dans cette vie, qu'est-ce que tu écris ? La réponse me vient avant que je la réfléchisse, je la laisse venir sans contrôle, elle ne me satisfait pas mais tant pis : j'ai pour principe de laisser les choses venir en désordre dans la parole, comme elles sont. Je te dis : si un jour tu n'es plus dans cette vie, je continuerai de la bénir et de l'aimer. Alors tu éclates de rire et tu me dis, radieuse : c'est très bien comme ça, c'est tellement mieux comme ça, promets-moi d'écrire la phrase dans son entier quand tu feras ce livre, sinon tu ferais de la littérature et il ne faut jamais faire de littérature, il faut écrire et ce n'est pas pareil, promets-moi. Je te le promets et nous parlons aussitôt d'autre chose — la mort qui venait de couper l'air semblait si lointaine que nous l'avions déjà oubliée.

On va bientôt changer de calendrier, la cage de 1995 va se refermer sur toi et c'est égal. Je n'ai jamais vécu dans le temps. Je crois que personne jamais n'a vécu dans le temps. Dans le vide, oui, dans le désert, oui — mais pas dans le temps. Nous vivons dans le vide ouvert par un événement, nous allons d'un événement à l'autre et il faut parfois des années pour qu'un événement succède à un autre. Entre les deux, le vide. Enfin, pas tout à fait : survient parfois la belle lumière d'un visage, d'une parole, d'un geste. J'ai une passion pour les visages. Contempler les visages est mon activité première. Contempler suppose d'être en retrait. Quand on est dans une chose, on ne sait plus la voir. On ne peut être qu'en retrait dans cette vie. On ne peut jamais être entièrement dans cette vie. Cette vie comme cette mort sont bien trop étroites pour le cœur qu'elles nous donnent et il y a toujours en nous quelqu'un qui n'est pas là, quelqu'un qui regarde et se tait, quelqu'un pour qui il n'y a que peu, très peu d'événements. Printemps 1951, je viens au monde et je commence à dormir. Automne 1979, je te rencontre et je m'éveille. Été 1995, je me découvre sans emploi, transi de froid. Mon emploi c'était de te regarder et de t'aimer. Un vrai travail, à temps plein. Pendant seize ans j'étais le plus occupé des hommes : assis dans l'ombre, je te regardais danser sur les chemins.

Les chemins sont encore là, ouverts. Et tu n'y es plus. Parfois je repense à l'arrivée de ton corps, transporté de Dijon à la petite église de Saint-Ondras, deux heures avant la cérémonie. Ma pensée comme une abeille tourne autour du cercueil que des employés sortent du fourgon, pour le placer dans l'église, près du maître-autel. Quelque chose a lieu là, pour toujours. Ce quelque chose n'est pas tout et n'est pas rien. Ce quelque chose est un coup de sang dans les yeux, une impossibilité de penser et de voir plus loin, un rappel au réel, comme on dit : un rappel au règlement.

Je suis toujours dans la vie. Je suis toujours en retrait. Je contemple toujours les chemins. J'y regarde ce qui te ressemble le plus — ce qui brûle, danse, chante, espère, surprend, réjouit. Oui c'est bien ce qui te ressemble le plus. Et ce n'est pas toi. Et c'est toi encore.

Je regarde la neige blanche. Je regarde la neige blanche et je *vois* des roses rouges. Je regarde la neige blanche de cette fin de l'année et je *vois* les roses rouges devant la maison de ta sœur, à Saint-Ondras. Le rosier n'est aujourd'hui qu'un tourment de bois noir et pourtant je ne pense pas aux roses rouges, je les *vois*, dès maintenant, je *vois* leur rougeur, leur gaieté, la balançoire pas très loin et la grande étendue d'herbe verte. Je vois ce qui n'est pas encore et ce qui reviendra, en plein hiver la nuit d'été. J'entends cette chanson que tu n'entendras plus. Sur la plus haute branche un rossignol chantait, chante rossignol, chante, toi qui as le cœur gai, moi je l'ai à pleurer. Je n'ai pas le cœur à pleurer, Ghislaine, enfin si, mais dessous les larmes il y a un rire, comme dessous la neige blanche il y a les roses rouges. Rien de cette vie n'est vain. Rien dans cette vie ne dépend de nous. Cette vie nous est donnée, et avec elle nous est donné bien plus que ce qui nous sera repris le jour de notre mort. Je me sens léger sous des tonnes de neige noire. Je me sens souriant à l'heure de quitter ce livre. Il y a un temps pour parler et un temps pour se taire. Je vais traverser cet hiver en silence, on ne peut s'approcher d'une rose rouge qu'en silence. J'ai au cœur un tourment de bois noir, je vais laisser tout ça virer au rouge et au clair. Je n'ai aucun doute sur le lieu où tu es réellement : tu es cachée dans le cœur des roses rouges. Lorsque je vais au cimetière, je regarde ta tombe, elle est couverte de noms, je ne pense rien alors, je ne pense que des choses triviales, je me dis que tu es là à deux mètres sous mes pieds, deux mètres ou trois, je ne sais plus, et je ne crois pas ce que je pense, et ça vient d'un seul coup, ça vient lorsque je me retourne, c'est là que je te vois, dans l'amplitude et l'ouvert du paysage, dans la beauté sans partage de la terre et du grand ciel, toi partout à l'horizon, c'est en tournant le dos à ta tombe que je te vois.

C'est entendu, Ghislaine, c'est entendu : je continuerai à bénir cette vie où tu n'es plus, je continuerai à l'aimer, je l'aime de plus en plus, un tel amour se chante, à la claire fontaine, aux marches du palais, les lauriers sont coupés, la belle affaire que les lauriers soient coupés, j'irai quand même au bois les ramasser,

si la cigale y dort
    ne faut pas la blesser
le chant du rossignol
    viendra la réveiller

DU MÊME AUTEUR

Aux Éditions Gallimard

LA PART MANQUANTE (Folio n° 2554)

LA FEMME À VENIR

UNE PETITE ROBE DE FÊTE (Folio n° 2466)

LE TRÈS-BAS (Folio n° 2681)

L'INESPÉRÉE (Folio n° 2819)

LA FOLLE ALLURE (Folio n° 2959)

DONNE-MOI QUELQUE CHOSE QUI NE MEURE PAS, en collaboration avec Édouard Boubat.

LA PLUS QUE VIVE (Folio n° 3108)

AUTOPORTRAIT AU RADIATEUR

GEAI

Aux Éditions Fata Morgana

SOUVERAINETÉ DU VIDE (Folio n° 2680)

LETTRES D'OR (Folio n° 2680)

L'HOMME DU DÉSASTRE

ÉLOGE DU RIEN

LE COLPORTEUR

LA VIE PASSANTE

UN LIVRE INUTILE

Aux Éditions Lettres Vives

L'ENCHANTEMENT SIMPLE

LE HUITIÈME JOUR DE LA SEMAINE

L'AUTRE VISAGE

L'ÉLOIGNEMENT DU MONDE
MOZART ET LA PLUIE

Aux Éditions Paroles d'Aube

LA MERVEILLE ET L'OBSCUR

Aux Éditions Brandes

LETTRE POURPRE
LE FEU DES CHAMBRES

Aux Éditions Le Temps qu'il fait

ISABELLE BRUGES (Folio n° 2820)
QUELQUES JOURS AVEC ELLES
L'ÉPUISEMENT
L'HOMME QUI MARCHE
L'ÉQUILIBRISTE

Livres pour enfants :

CLÉMENCE GRENOUILLE
UNE CONFÉRENCE D'HÉLÈNE CASSICADOU
GAËL PREMIER, ROI D'ABÎMMMMMME ET DE MORNELONGE
LE JOUR OÙ FRANKLIN MANGEA LE SOLEIL

Aux Éditions Théodore Balmoral

CŒUR DE NEIGE

Composition Nord Compo.
Impression Bussière à Saint-Amand (Cher),
le 6 juillet 1999.
Dépôt légal : juillet 1999.
1er dépôt légal dans la collection : décembre 1998.
Numéro d'imprimeur : 1561.
ISBN 2-07-040695-4./Imprimé en France.